P9-ECC-813

voor Jasmijn

en Imme

Eerste, tweede, derde en vierde druk, 2000; vijfde druk, 2001; zesde, zevende, achtste en negende druk, 2002; tiende druk, 2003.

ISBN *90 451 0008 8* / NUR *275,277*

Jij bent de liefste

Hans & Monique Hagen

Jij bent de liefste

Met tekeningen van
Marit Törnqvist

Amsterdam Antwerpen
Em. Querido's Uitgeverij B.V.
2003

LIEFSTE

ik zoek een woord
een heel nieuw woord
een woord dat niemand kent
ik zoek een woord
dat zeggen wil
dat jij de liefste bent

IK DROOM

als de nacht nog niet zo oud is
en mijn bed niet meer zo koud is
droom ik
dat ik alles mag
en alles kan
en alles heb
maar één ding wil ik niet
een potje om te huilen
een potje voor verdriet

ONE-TWO-THREE

ja is yes
nee is no
en tellen gaat zo
one-two-three is
1-2-3

een hond is a dog
een kat is a cat
en this is iets anders dan that
this is a dog
and that is a cat

een boek is a book
en een tas is a bag
engels is gek
ik heb een boek in mijn bek

ONZICHTBAAR

een zucht is onzichtbaar
net als de wind
de nacht is onzichtbaar
als de dag begint
onzichtbaar zijn de dingen
die ik kwijt ben
die ik nooit meer vind
maar
met mijn ogen dicht
zie ik alles
wat mijn hoofd verzint

GROTE VOETEN

mijn nieuwe schoenen
zijn zo groot
de hele wereld
past eronder

FRESIA

baby baby tralala
baby baby boem
knijp je neus dicht hopsasa
ik pluk voor jou een bloem

in een vaasje naast je bed
baby baby ba
dan ruik je niet naar babypoep
maar naar een fresia

HONDJE

ik wil een hondje
met een zwaaistaart
en dat ik altijd met 'm speel
en nooit meer zeur
dat ik me nooit
nooit meer verveel

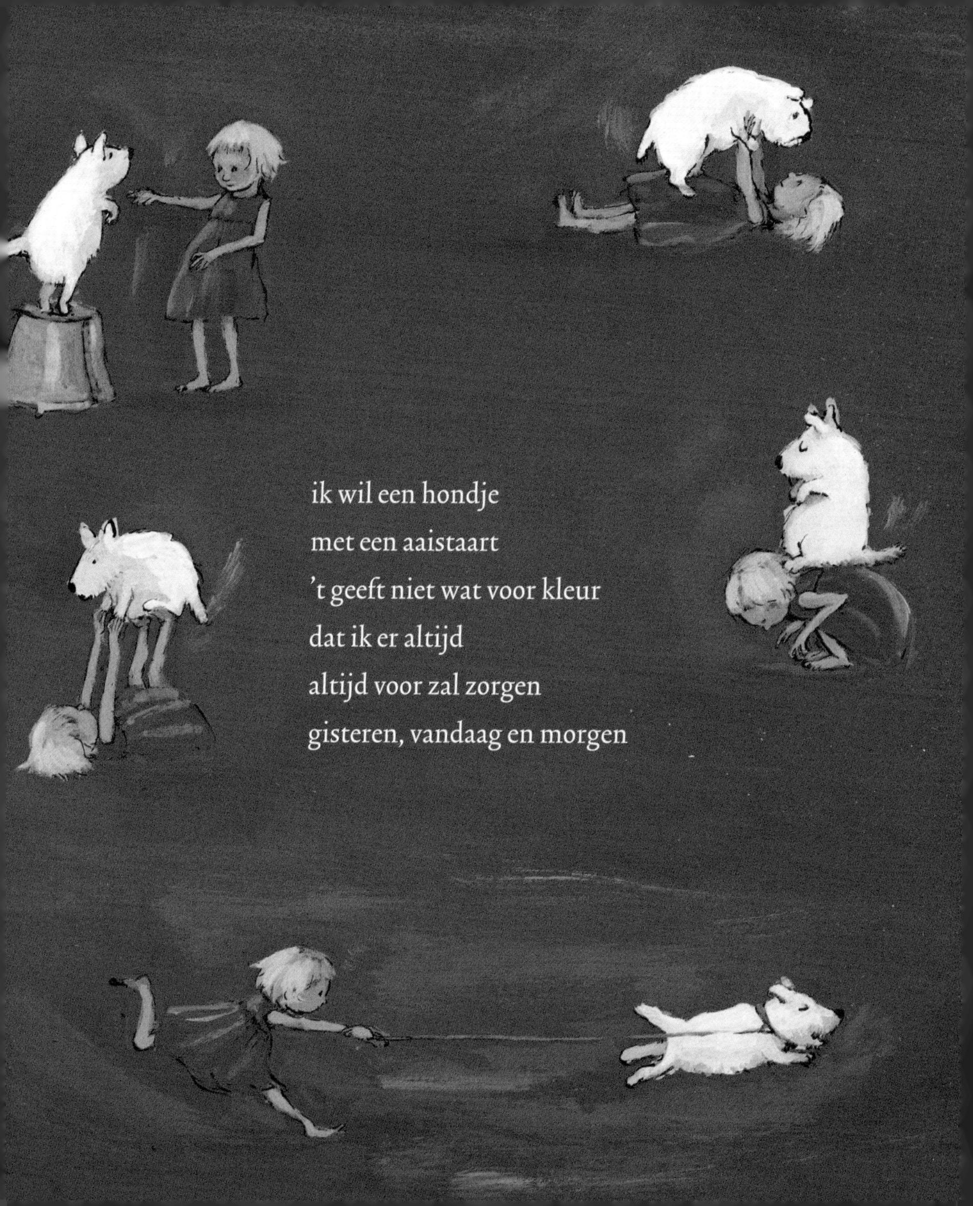

ik wil een hondje
met een aaistaart
't geeft niet wat voor kleur
dat ik er altijd
altijd voor zal zorgen
gisteren, vandaag en morgen

DRUPPELTJES VERDRIET

soms
val ik hard
dan huilt mijn knie
tranen rood van bloed
en uit mijn ogen
druppeltjes verdriet
soms
val ik zacht
dan huil ik niet

STEKKIE

een jonge hond dat is een puppie
een kleine koe een kalf
een baby-bedje is een wiegje
een baby-vliegtuig is een vliegje
een baby-brood is een kadetje
een zachte z een zetje
een kleine gek een gekkie
en een baby-plant heet stekkie

WOLKEN

hoe kan het
dat de wolken blijven hangen
kun je ze niet vangen
met een hengel of een touw
zijn ze van watten
of van pluizen
zijn ze net zo hoog als huizen
hoe kan het
dat de wolken steeds weer komen
en weer gaan
hoe kan het
dat ze altijd verder zweven
dat er nooit eens één
een tijdje stil blijft staan

ZON KOM OP

zon

kom op

zet je stralen aan

stuur de wolken naar de maan

schijn een wak in de wolken

schijn een gat in de lucht

een straaltje zon op mijn gezicht

voel ik met mijn ogen dicht

zon

kom op

zet je stralen aan

dan kan ik naast mijn schaduw staan

ZONNEBLOEMENZEE

zonnebloemen draaien
met de zon mee
van vroeg tot laat
met de zon mee
tot hij ondergaat

’s nachts
draaien zonnebloemen
langzaamaan
niet vlug
’s nachts
draaien zonnebloemen
zachtjes terug

tot de zon komt
met de zon mee
zonnebloemenzee

STRAKS

kom je nu
dat is meteen

kom je zo
dat duurt nog ev

kom je straks
dan gaan we eten

maar hoe lang straks duurt
mag ik zelf weten

01234
6789

ECHT

mama slaapt
ze ziet me niet
ze hoort niet wat ik zeg
zachtjes trek ik aan haar oor
mama doe je ogen open
mama word weer echt

DRIE DAGEN

papa heeft me weggebracht
hij gaf me kusjes voor drie nachten
nu zit hij thuis op mij te wachten
ik ben er eventjes niet meer
ik logeer
met mijn beer, mijn ochtendjas
mijn zaklamp in mijn tas
ik mag zeggen wat we eten
maar ik weet het nu nog niet
misschien bakt opa pannenkoeken
anders kies ik friet
maar eerst ga ik hem vragen
duurt het lang, drie dagen

DANSEN

stofjes dansen in de zon
een goudvis in een vissenkom

een flakkerende kaarsenvlam
danst om twaalf uur
een schaduw op de muur

een blaadje dwarrelt van de boom
en als ik in slaap val
dans ik in een droom

ZILVER EN GOUD

oma is lachen
oma is rimpels
oma is lief
en oma is oud

haar haren zijn van zilver
en haar tanden zijn van goud

ALS OPA

waar kijk je naar
waar denk je aan
wat zit er in je hoofd

opa's hoed zit in mijn hoofd
die groene met die veer
als opa later dood is
dan hoeft hij hem niet meer

ik krijg die hoed
daar denk ik aan
als opa later dood is
word ik een meneer

NACHT

het is donker, ik ga slapen
ik sta nog even voor het raam
het poesje van de buren
mag nog naar buiten gaan

ik hoor de wind
de bomen zwaaien
ze tikken-takken op de ruiten
ze vragen: kom je buiten

ik mag niet meer
het is te laat
het zwart is in de lucht
de avond in de straat

het poesje van de buren
wil alweer naar binnen
ik doe de gordijnen dicht
de nacht kan beginnen

MUIS

het licht is uit
de wind
giert
om het huis
SSsst...
op zolder
loopt
een muis

PIEP PIEP PIEP

STERREN

heel ver in de verte
staan de sterren
niet te tellen
meer
veel meer
dan ik mij voor kan stellen

heel ver in de verte
zo ver als ik kan zien
zie ik sterren
en ze zien mij ook
misschien

PIJLTJES

witte winter
wollen wanten
warme jas
waar gisteren
nog gras was
zie ik pijltjes
in de sneeuw
poes volgt de pootjes
van een spreeuw

mijn adem is een wolkje
witte schreeuw
vliegt door de lucht

vlug   vogel   vlucht

GENOEG

duizend bomen is een bos
duizend druppels is de regen
duizend sprietjes is het gras
maar
hoeveel woorden heb ik
hoeveel belletjes van spuug
hoeveel tranen, hoeveel lach
hoeveel poep en hoeveel plas
hoeveel kusjes voor de nacht
zal ik nog krijgen
en nog geven
genoeg
voor heel mijn leven